UDC

中华人民共和国国家标准

P

GB 51069－2014

中药药品生产厂工程技术规范

Technical code for traditional
Chiese medicine production plant engineering

2014－12－02 发布　　　　　2015－08－01 实施

中华人民共和国住房和城乡建设部
中华人民共和国国家质量监督检验检疫总局　　联合发布

中华人民共和国国家标准

中药药品生产厂工程技术规范

Technical code for traditional
Chinese medicine production plant engineering

GB 51069 - 2014

主编部门：中 国 医 药 工 程 设 计 协 会
批准部门：中华人民共和国住房和城乡建设部
施行日期：2 0 1 5 年 8 月 1 日

中国计划出版社

2014 北 京

中华人民共和国国家标准

中药药品生产厂工程技术规范

GB 51069-2014

☆

中国计划出版社出版

网址：www.jhpress.com

地址：北京市西城区木樨地北里甲 11 号国宏大厦 C 座 3 层

邮政编码：100038　电话：（010）63906433（发行部）

新华书店北京发行所发行

三河富华印刷包装有限公司印刷

850mm×1168mm　1/32　2.75 印张　66 千字

2015 年 6 月第 1 版　2015 年 6 月第 1 次印刷

☆

统一书号：1580242 · 644

定价：17.00 元

中华人民共和国住房和城乡建设部公告

第 664 号

住房城乡建设部关于发布国家标准
《中药药品生产厂工程技术规范》的公告

现批准《中药药品生产厂工程技术规范》为国家标准,编号为 GB 51069—2014,自 2015 年 8 月 1 日起实施。其中,第 3.2.4、3.4.3(1、2)、3.4.4(1、4)、3.4.6(1)、4.3.4(2)、5.2.4(7、8)、5.2.7、5.3.5、5.5.2、6.3.2、6.3.3、6.3.4、6.3.6(1)、7.3.5、10.2.2 条(款)为强制性条文,必须严格执行。

本规范由我部标准定额研究所组织中国计划出版社出版发行。

中华人民共和国住房和城乡建设部
2014 年 12 月 2 日

前　言

本规范是根据住房城乡建设部《关于印发〈2010 年工程建设标准规范制订、修订计划〉的通知》(建标〔2010〕43 号)的要求,由中国医药集团重庆医药设计院会同有关单位共同编制而成的。

本规范在编制过程中,编制组经广泛调查研究,认真总结实践经验,参考有关国内外标准,并广泛征求意见,最后经审查定稿。

本规范共分 12 章,主要技术内容有:总则,术语,工艺与设备,建筑、结构和装修,通风、除尘、净化空调系统,给排水,电气,热能动力,弱电、仪表与自动化控制,安全与消防,施工,验收与确认。

本规范中以黑体字标志的条文为强制性条文,必须严格执行。

本规范由住房城乡建设部负责管理和对强制性条文的解释,由中国医药工程设计协会负责日常管理,由中国医药集团重庆医药设计院负责具体技术内容的解释。在本规范的执行过程中,希望各单位结合工程实践,认真总结经验,如有需要修改和补充之处,请将意见和建议寄交中国医药集团重庆医药设计院(地址:重庆市渝中区大坪正街 8 号,邮政编码:400042),以便今后修订时参考。

本规范主编单位、参编单位、主要起草人和主要审查人:

主 编 单 位:中国医药集团重庆医药设计院

参 编 单 位:奥星制药设备(石家庄)有限公司

中石化上海工程有限公司

中国医药集团联合工程有限公司

云南白药集团股份有限公司

江中药业股份有限公司

山东东阿阿胶股份有限公司

漳州片仔癀药业股份有限公司

华润三九医药股份有限公司

主要起草人：吴　霞　卢浩荣　谭建国　林衍良　余　健
何华平　陈泽嘉　何小华　陈学明　蒋　彬
伍莉萍　张　勇　夏崇福　程　宁　马义岭
赵肖兵　陈芩晔　刘　元　叶　萍　刘艳艳
蔡文昌　张万鸿　袁炳辉　贾晓艳　夏　逢
刘旭海　胡永水　陈纪鹏　潘红炬

主要审查人：缪　晡　张长银　魏学君　郑光华　李旭华
许小球　梁　军　粘立军　卢晓江　吴华欣
景莉敏

目　　次

Contents

1 总　　则

1.0.1 为确保中药药品生产厂房及设施的建设做到技术先进、经济合理、安全适用,满足生产工艺要求,保证产品质量,制定本规范。

1.0.2 本规范适用于新建、改建、扩建的中药药品生产厂房及设施的设计、施工、验收、确认及验证等。

1.0.3 中药药品生产厂房及设施的设计、施工、验收、确认及验证,除应符合本规范外,尚应符合国家现行有关标准的规定。

2 术 语

2.0.1 中药药品生产 traditional Chinese medicine production

加工制备中药药品的过程。

2.0.2 生产设施 production facility

生产中药药品的厂房、设备及配套公用系统等。

2.0.3 中药材 traditional Chinese herbal medicine

根据传统中医理论具有疾病治疗效果的动植物、矿物。

2.0.4 原药材 raw traditional Chinese herbal medicinal material

药用植物、动物的药用部分采收后经产地初加工形成的原料药材。

2.0.5 中药材前处理 pre-treatment of traditional Chinese herbal medicine

将原药材经净制、浸润、切制、炒制、炙制、煅制、干燥、粉碎等工艺,加工成中药材中间品或半成品的过程。

2.0.6 中药饮片 traditional Chinese herbal medicine pieces

指药材经过炮制后可直接用于中医临床或制剂生产使用的处方药品。

2.0.7 中药提取 traditional Chinese herbal medicine extraction

采用物理方法从中药材中获取有效成分的过程。

2.0.8 中药制剂 traditional Chinese medicine formulation

根据规定的处方,将中药加工后制成具有一定剂型、规格,可以直接用于防病治病的中药药品的过程。

2.0.9 浸膏 extract

中药材的提取物经浓缩去除溶剂后所得到的产品,可分为流浸膏(液体)和干浸膏(固体)。

2.0.10　毒性药材　toxic traditional Chinese herbal medicine

指标注为"大毒(剧毒)"、"有毒"的药材。

2.0.11　密闭操作　closed operation

将半成品、物料、关键组分等置于密闭的生产设备中,使其得到保护并与紧邻的生产环境分隔的生产操作。

2.0.12　生产区　production area

主要从事药品生产的区域。

2.0.13　贮存区/仓储区　storage area

药品生产中专门用于原辅料、中间体、成品等的集中储存区,不包括生产过程中的岗位暂存区。

2.0.14　养护室　curing room

存放、养护相关仪器、设备及材料,在药材/药品验收、在库养护检查中,对药材/药品进行检查、监控的场所。

2.0.15　确认　qualification

建立文件和记录,并以文件和记录证明厂房、设施、设备能正确运行并达到预期结果的一系列活动。

2.0.16　设计确认　design qualification(DQ)

建立文件和记录,并以文件和记录证明厂房、设施、设备的设计符合预定用途和《药品生产质量管理规范》的要求。

2.0.17　安装确认　installation qualification(IQ)

建立文件和记录,并以文件和记录证明厂房、设施、设备的建造和安装符合设计标准。

2.0.18　运行确认　operation qualification(OQ)

建立文件和记录,并以文件和记录证明厂房、设施、设备的运行符合设计标准。

2.0.19　性能确认　performance qualification(PQ)

建立文件和记录,并以文件和记录证明厂房、设施、设备在正常的操作方法和工艺条件下能够持续符合标准。

2.0.20　验证　validation

建立文件和记录,并以文件和记录证明任何操作规程或方法、生产工艺或系统能够达到预期结果的一系列活动。

2.0.21　交货前检查　pre-delivery inspection
生产设备或系统送到现场前进行的检查与测试。

2.0.22　工厂验收测试　factory acceptance test(FAT)
在供货商制造现场进行的设备或系统的最后一次测试,以证明设备或系统在出厂前能够满足预计性能及使用要求。

2.0.23　现场验收测试　site acceptance test(SAT)
在客户项目现场进行的设备或系统综合性能测试,以证明设备或系统达到了预计性能及使用要求。

2.0.24　验证总计划　validation master plan
验证工作最高层的文件,用以建立整个项目的验证方案。

2.0.25　工艺验证　process validation(PV)
建立文件和记录,并以文件和记录证明生产工艺按设定的工艺参数能持续生产出符合预定用途和注册要求的产品。

2.0.26　清洁验证　cleaning validation
建立文件和记录,并以文件和记录证明所批准的清洁规程能使设备或系统的清洁效果符合药品生产要求。

2.0.27　直接影响系统　direct impact system
预期对产品质量产生直接影响的系统。

2.0.28　参照洁净区管理区域　area managed referring to clean area
该区域的厂房应能密闭,空气经过初中效或高中效过滤送入,人员、物料进出及生产操作按 D 级洁净区管理。

3 工艺与设备

3.1 工艺系统设计

3.1.1 中药药品生产工艺系统应安全可靠,并应具有可重现性。

3.1.2 在中药药品生产、贮存和运输的过程中,应采取控制微生物污染的措施。

3.1.3 工艺系统设计应根据中药药品生产工艺和生产规模确定,并应与生产过程设备的生产能力相匹配,同时应符合下列规定:

    1 应便于生产组织、批次管理、工艺验证,并应易于清洁及清洁验证;

    2 应采取避免污染和交叉污染、混淆和差错的措施;

    3 生产工艺系统不应对药材的有效成分产生不利影响;

    4 应满足用户需求。

3.1.4 特殊生产工艺系统宜单独设置。前处理应设置净选工序。提取工艺系统宜按密闭操作系统设计。

3.1.5 回收后的溶剂再使用时,不得对产品造成交叉污染,并不得对产品的质量和安全性有不利影响。

3.1.6 药渣的收集、运输和暂存宜设置自动出渣系统。

3.2 工艺设备

3.2.1 中药生产设备应符合下列规定:

    1 设备的设计、选型、安装、改造和维护应符合生产要求,并应符合便于操作、清洁、维护以及消毒或灭菌的要求;

    2 设备的设计、选型宜采用生产效率高、噪音小、防尘、节能、环保、安全的设备；

    3 中药生产设备的生产能力应满足需求，并应与生产批量相适应。

3.2.2 中药生产设备的传动部件应密封，并应采取防止润滑剂、冷却剂等泄漏的措施。用于口服药品生产的设备应选用食品级或质量相当的润滑剂。用于无菌药品生产的设备应选用磁力搅拌器或无润滑方式。

3.2.3 洗药、切药、粉碎、压片等各种机械设备均应选用低噪声产品，并应符合现行国家标准《工业企业厂界环境噪声排放标准》GB 12348 的有关规定。对于噪声值超标的设备，应设置隔声设施。

3.2.4 **产尘工序应采用防尘、捕尘、隔离和防止微生物污染的设备和设施。**

3.2.5 中药生产过程配备的衡器、量具、仪器，应具备检定合格证书，并能调节控制稳定可靠。

3.2.6 中药生产设备保温层不得有颗粒性物质脱落。保温层宜采用不易锈蚀的金属外壳保护，表面应平整、光洁。

3.2.7 精密设备应根据振源影响采取被动隔振措施。

3.2.8 中药生产设备不得对药品质量产生任何不利影响。

3.2.9 出渣车控制室宜靠外墙设置，且操作人员应能观察到出渣车运行状况。

3.2.10 中药制药设备取样及测试接口设置应符合验证要求。

3.2.11 洁净室（区）内干燥设备出风口应设置防止空气倒灌和过滤的装置。

3.2.12 提取、浓缩设备清洗用水可采用饮用水，对于生产注射剂和无菌制剂的浓缩、收膏设备最后一次清洗用水，宜采用纯化水或注射用水。

3.2.13 前处理设备的切药机、粉碎机等，应配置金属剔除装置。

3.3 生产环境

3.3.1 厂房外部环境应能降低物料或产品遭受污染的风险。

3.3.2 采用生药粉直接入药的药品,药材粉碎、过筛、混合的生产区域应至少为参照洁净区管理区域。

3.3.3 提取收膏以及浸膏的配料、粉碎、过筛、混合等操作区域的洁净度级别,应与制剂配制操作区的洁净度级别一致。

3.3.4 中药注射剂配液前的精制工序生产环境,不应低于 D 级洁净区要求。

3.3.5 中药制剂生产环境应按国家现行有关药品生产的规定执行。

3.4 工艺布局

3.4.1 工艺布局应满足生产工艺流程,以及有关消防、安全、职业卫生、节能等的要求,并应根据工艺设备和管道的安装和维修,以及其他辅助设施等的要求综合确定。

3.4.2 生产设备和管道应按工艺流程的顺序布置,并应便于操作、清洗和维修;应合理设计设备进场、起吊的运输路线。

3.4.3 工艺布局应防止人流和物流的交叉污染,并应符合下列规定:

    1 人员和物料进出生产区域的出入口应分别设置,对易造成污染的物料应设置专用出入口;

    2 人员和物料进入生产区域应分别设置与净化要求相适应的设施;

    3 生产、贮存和质量控制区不应作为非本区工作人员的直接通道;

    4 辅助设施人员与生产区域人员宜分开设置通道。

3.4.4 中药材前处理布局应符合下列规定:

    1 中药材前处理布局应设置净选工序;

2 应设置与生产相适应的原药材和净药材暂存间；

3 物料运输应方便，运输路线应短；

4 毒性药材的前处理应设置独立的生产区域，并应设置人员职业健康防护设施；

5 中药材的炮制工序宜靠外窗布置；

6 应设置通风除尘设施。

3.4.5 对于参照洁净区管理区域，除应设置生产功能间外，还应设置人员、物料进出通道和工器具、洁具清洗存放等辅助功能间。

3.4.6 中药材提取的布局应符合下列规定：

1 中药材提取应设置称量配料间和净药材暂存间；

2 投料区应采取避免交叉污染的措施；

3 提取设备排渣区域宜与其他生产区域隔离，并应设置独立的中药渣出口；

4 甲、乙类生产区域宜集中布置，并宜布置在厂房的一端，与其他区域应用防爆墙和门斗分隔；

5 应利于通风、排风。

3.4.7 中药材仓库宜与其他仓库分开，中药材仓库应设置养护室，毒性和易串味的中药材和中药饮片应分别设置专库（柜）存放。

3.4.8 中药药品质量控制区应设置中药材标本存放以及记录保存的区域。

3.5 工 艺 管 道

3.5.1 工艺管道布置应简捷、便于操作、检修，不应出现使输送介质滞留和不易清洁的部位。特殊产品应便于拆卸清洗。

3.5.2 中药生产管道、管件、阀门及密封件等的材料，应根据所输送物料的理化性质和使用工况确定。材料应满足工艺要求，不得对药品质量产生不利影响。阀门、管件及密封件材质应与连接的管道材质相适应。

3.5.3 与药品直接接触的管道表面应平整、易清洗或消毒、耐腐蚀,不得与药品发生化学反应、吸附药品或向药品中释放有害物质。

3.5.4 中药提取生产中输送流浸膏的管道材质宜采用内抛光的优质低碳不锈钢。

3.5.5 中药制剂生产中输送无菌介质和成品的管道材质宜采用内外抛光的优质低碳不锈钢或其他不污染物料的材质。

3.5.6 洁净区内的阀门、管件,除应满足工艺要求外,还应采用拆卸、清洗、灭菌和检修方便的结构形式。

3.5.7 管道系统中应设置吹扫、放净、排空、取样口。

3.5.8 中药无菌制剂设备、消毒灭菌系统的排水口,应设置带有空气阻断功能的装置。

3.5.9 管道穿越洁净区顶棚、墙壁和楼板处宜设置套管,管道与套管之间应密封,无法设置套管的部位应采取密封措施,并应符合现行国家标准《医药工业洁净厂房设计规范》GB 50457 的有关规定。

3.6 工艺辅助系统

3.6.1 中药生产的工艺用水可包括饮用水、纯化水、注射用水。中药材洗涤、浸润、提取用水的质量标准不得低于饮用水标准,无菌制剂的提取用水应采用纯化水。

3.6.2 纯化水、注射用水的分配输送,应符合现行国家标准《医药工艺用水系统设计规范》GB 50913 的有关规定。

3.6.3 纯蒸汽的输送应符合现行国家标准《医药工艺用水系统设计规范》GB 50913 的有关规定。

3.6.4 中药生产工艺用气应根据生产工艺要求配置,与药品直接接触的工艺气体的净化系统应根据气源和生产工艺对气体纯度的要求确定。终端净化装置应设置在用气点附近,并应定期检查完整性。

3.6.5 真空系统应根据生产工艺要求配置,系统设置应可靠、安全、节能、环保。

3.6.6 中药生产的配液系统和中药提取系统宜设置在位清洗设施,在位清洗设施宜与生产工艺系统相匹配,分段设置,并应靠近使用点。

3.6.7 中药无菌制剂生产宜设置在位消毒灭菌设施。

4 建筑、结构和装修

4.1 一般规定

4.1.1 建筑平面和空间布局应具有灵活性,不宜采用内墙承重体系。

4.1.2 生产厂房围护结构应满足保温、隔热、防火、防潮和隔声等要求。

4.1.3 生产厂房主体结构的耐久性,应与室内装备和装修水平相适应,并应具有防火、控制温度变形和不均匀沉陷的性能。厂房变形缝不宜穿越洁净区;当需穿越时,应采取保证洁净区气密性的措施。

4.1.4 洁净区应设置技术夹层或技术夹道。穿越楼层的竖向管线暗敷时,宜设置技术竖井。技术夹层、技术夹道和技术竖井,应满足风道和管线的安装、检修及防火要求。

4.1.5 生产通道应根据使用要求留有适当宽度,物流通道宜设置防撞构件。

4.2 结　构

4.2.1 中药提取的厂房结构宜采用现浇钢筋混凝土框架结构形式。

4.2.2 甲类厂房抗震设防类别应按乙类确定,其他厂房抗震设防类别可按丙类确定。

4.2.3 生产厂房内设置钢平台时,钢平台水平传力构件宜与主体结构脱开,必须连接时应计及钢平台对主体结构的影响。

4.2.4 生产厂房楼地面和屋面活荷载,除应符合现行国家标准《建筑结构荷载规范》GB 50009 的有关规定外,生产区活荷载不宜小于 5kN/m^2,并应符合下列规定:

1 较大设备应按设备实际重量确定,并应计及设备的吊装、安装路线上的活荷载的影响;

2 有钢平台立柱的部位应按钢平台立柱柱底的实际内力确定。

4.3 室内装修

4.3.1 生产厂房内装修材料的燃烧性能,应符合现行国家标准《建筑内部装修设计防火规范》GB 50222 的有关规定。

4.3.2 有防腐要求的生产区域,内装修材料的类别应根据腐蚀性介质的类别及作用情况、防护层使用年限等要求确定,并应符合现行国家标准《工业建筑防腐蚀设计规范》GB 50046 的有关规定。

4.3.3 生产厂房的地面设计应符合下列规定:

1 地面应满足生产工艺的要求;

2 地面应整体性好、平整、不开裂、耐磨、不起尘、耐撞击、隔声,并应不积聚静电、易清洗;

3 地面垫层宜配筋,潮湿地区垫层应做防潮构造。

4.3.4 生产厂房内的装修应符合下列规定:

1 室内装修应采用节能、环保型建筑材料;

2 与原辅料和中间品直接接触的地面和墙面材料,不应与其发生化学反应、吸附作用或释放出物质;

3 内表面应平整光滑、不产尘、无裂缝,并应耐清洗和耐消毒;

4 当采用砌体隔墙时,墙面应采用高级抹灰标准,涂料面层应采用耐腐蚀、耐清洗、表面光滑、无毒和不易生霉的材料;

5 房间内有防水、防潮、防污、防碰等要求时,应按使用要求设置耐清洗的地面和墙裙;

6 切药、粉碎等有特殊噪声的房间,应采取降噪措施。

4.3.5 生产厂房中的医药洁净室的建筑围护结构和室内装修,应采用气密性好且变形小的材料,并应符合现行国家标准《医药工业洁净厂房设计规范》GB 50457 的有关规定。

5 通风、除尘、净化空调系统

5.1 一般规定

5.1.1 中药药品生产环境应采取通风、除尘、净化空调、除湿等措施。

5.1.2 中药药品生产环境中参照洁净区管理区域应符合下列规定：

    1 应采取通风措施或设置空气调节系统；

    2 送入生产区域的空气应经过粗效、中效(或高中效)两级过滤器处理；

    3 室内应保持微正压，与普通区域之间的压差不宜小于5Pa；

    4 生产过程中有粉尘产生的房间应设置除尘系统；

    5 生产过程中有异味或有有害物产生的房间应设置排风系统；

    6 送风末端宜采用散流器风口或双层百叶风口。

5.1.3 洁净区的温度、相对湿度应符合下列规定：

    1 生产工艺对温度、湿度无要求时，D级洁净区温度应为18℃～26℃，相对湿度应为45％～65％；C、B级洁净区温度应为20℃～24℃，相对湿度应为45％～60％。

    2 生产工艺对温度、湿度有特殊要求时，应根据工艺要求确定。

5.1.4 参照洁净区管理区域的温度和相对湿度，应满足人员舒适度要求或根据工艺要求确定。

5.1.5 中药药品生产贮存区的温度和相对湿度，应按存放物料的贮存要求设置，并应符合现行国家药典的有关规定。

5.1.6 洁净区空气净化系统设计应符合现行国家标准《医药工业洁净厂房设计规范》GB 50457 的有关规定。

5.2 通风、除尘

5.2.1 中药提取、浓缩等工序生产过程产生水蒸气和热量,应采取通风措施,排风管道应设置坡度及凝水排出口。

5.2.2 中药材和中药饮片的仓库应采取通风措施。进、出风口应设置过滤网。

5.2.3 贮存毒性和易串味药材的仓库,其对外的出风口应设置于下风向。

5.2.4 对可能突然放散大量有害气体和有爆炸危险气体的区域,应设置事故通风系统,并应符合下列规定:

　　1 事故通风量宜根据工艺设计要求计算确定,但换气次数不应小于 12 次/h。

　　2 事故通风的室内吸风口,应设置在有害气体和有爆炸危险气体散发量最大或聚集最多处,并应避免死角。

　　3 事故通风的室外排风口应符合下列规定:

　　　　1) 不应布置在人员经常停留或经常通行的地点以及临近门、窗等设施处;

　　　　2) 与机械送风系统的进风口的水平距离不应小于 20m ,当不足 20m 时,出风口应高出进风口,并不宜小于 6m;

　　　　3) 排风口不应朝向室外空气动力阴影区及空气正压区。

　　4 事故通风可采用轴流风机或屋顶风机直接将有害气体排至室外,并应符合本条第 3 款的规定。

　　5 事故通风宜由平时通风系统和事故通风系统共同承担,但应保证事故通风的要求。

　　6 排出有爆炸危险气体的事故通风机应采用防爆型。

　　7 事故通风的手动控制装置应分别设置在室内、室外便于操作的地点。

8 事故通风应根据所排出气体的种类，设置相应的检测报警及控制系统。

5.2.5 设有排风的中药药品生产厂房，应采用自然补风。当自然补风不能满足要求时，宜设置机械补风系统，补风量不宜小于排风量的50%。

5.2.6 生产厂房机械通风的进（送）、出（排）风口设置，应符合下列规定：

1 室外进风口应设置在室外出风口的上风侧且低于出风口。

2 室内排风口应靠近污染物源，室内送风口应使操作人员位于送风气流的上风向。

3 排风管道高出屋面排放时，其出风口底部高出屋面的高度应符合下列规定：

1) 当排出气体为无毒、无污染时，宜高出屋面0.5m；

2) 当排出气体最高允许浓度小于 $5mg/m^3$ 时，应高出屋面3m；

3) 当排出气体最高允许浓度大于 $5mg/m^3$ 时，应高出屋面5m。

5.2.7 排放易燃、易爆介质的区域，以及散发粉尘或有害气体的区域，应单独设置排风系统。

5.2.8 下列区域的排风系统应单独设置：

1 有水蒸气和产生凝结性物质的区域；

2 易串味物品区域。

5.2.9 中药药品生产的筛选、拣选、称量、粉碎、筛分、混合等操作，应采取除尘措施。

5.2.10 生产设备产尘点集中时，应在尘源处设置捕集设施，将粉尘捕集后通过除尘器处理达标排放。

5.2.11 生产设备产尘点分散且粉尘量少时，应在靠近产尘点附近设置排风口，排风应通过除尘器处理后排至室外。

5.2.12 洁净区可采用称量罩（室）的除尘方式。

5.2.13 除尘器的选择,应根据粉尘性质、含尘浓度、含尘气体的排放标准、粉尘的可回收性等因素确定。

5.2.14 粉尘捕集设施的排风量,应按防止粉尘逸至室内的原则通过计算确定,或采用实测数据。

5.2.15 除尘器应布置在除尘系统的负压段。

5.2.16 通风、除尘系统排放的气体参数,均应符合现行国家标准《大气污染物综合排放标准》GB 16297 的规定。

5.3 洁净区净化空调系统

5.3.1 洁净区的空气净化处理应采用粗效、中效、高效空气过滤器三级过滤。

5.3.2 洁净室内的温度、相对湿度、压差、噪声等环境参数,应符合现行国家标准《医药工业洁净厂房设计规范》GB 50457 的有关规定。

5.3.3 下列情况的净化空调系统宜分开设置:

    1 洁净区与参照洁净区管理区域;

    2 运行班次和使用时间不同时;

    3 温度、湿度参数差别较大时。

5.3.4 净化空调系统设计应合理利用回风。

5.3.5 凡属下列情况之一的净化空调系统,空气不应循环使用:

    1 生产过程散发粉尘,其室内空气经处理仍不能避免交叉污染时;

    2 甲、乙类物质生产区域;

    3 生产过程产生有害物、异味或挥发性气体的工序;

    4 工艺有特殊要求的区域。

5.3.6 净化空调系统的风机宜采取变频措施。

5.3.7 采用熏蒸消毒灭菌的洁净区,应设置消毒排风设施。

5.3.8 洁净区压差控制应符合下列规定:

    1 洁净区的排风系统应采取防止室外空气倒灌的措施。

2 同一洁净区的送风、回风和排风系统风机应联锁。

3 下列房间与相邻洁净房间应保持相对负压：

　　1）有粉尘产生的房间；

　　2）有热湿气体和异味产生的房间；

　　3）使用有机溶媒的房间；

　　4）工艺有特殊要求的房间。

5.3.9 洁净区内不应使用散热器采暖。

5.3.10 注射剂用净化空调系统宜采用纯蒸汽加湿。

5.4 气流流型与送风量

5.4.1 气流流型的设计应符合下列规定：

1 应满足空气洁净度级别的要求。A级洁净区应采用单向流型；B级、C级、D级洁净区应采用非单向流型，且应减少涡流区。

2 应满足污染空气快速排出的要求。

3 洁净区的气流分布应均匀，气流速度应满足工艺生产及人体卫生要求。

5.4.2 洁净区气流的送、回风方式应符合下列规定：

1 B级、C级洁净区应顶送下侧回。

2 D级洁净区应顶送下侧回；工艺生产有特殊要求时，可采用侧送或上回。

3 有粉尘产生的房间，不应采用上部回风方式。

5.4.3 洁净室内回（排）风口的布置，应符合下列规定：

1 应靠近易产生污染的工艺设备附近；

2 应布置在洁净气流的下风侧；

3 不应设置在人员长期停留的区域。

5.4.4 洁净区的送风量应取下列最大值：

1 按表5.4.4中的数据计算或按室内发尘量计算；

2 根据热湿负荷计算的送风量；

3 按自净时间计算的送风量；

4 向洁净区提供的新风量。

表 5.4.4 空气洁净度等级和送风量

洁净度等级	气流流型	气流平均风速(m/s)	换气次数(ACH)
A	单向流	0.45±20％	—
B	非单向流	—	40～60
C	非单向流	—	20～40
D	非单向流	—	15～20
参照洁净区管理区域	—	—	＞8

注:1　换气次数适用于层高小于 4m 的洁净区。

2　室内人员少、热源少、发尘量少时宜采用下限值。

5.5　风管和附件

5.5.1　中药药品生产车间的通风、除尘、净化空调系统,应按需要设置风量调节阀、电动密闭阀、止回阀、防火阀等附件。风管尺寸应满足对内壁清洁的要求,宜设置清扫口。风管应采用耐消毒、不易锈蚀、不起尘的材料。

5.5.2　下列情况之一的通风、除尘和净化空调系统的风管,应设置防火阀:

1　风管穿越通风、除尘和空调机房的隔墙和楼板处;

2　风管穿越防火分区和防火单元的隔墙处、穿越变形缝的防火隔墙的两侧;

3　风管穿越防爆区的隔墙处;

4　垂直风管与每层水平风管交接的水平管段处。

5.5.3　在空气过滤器前后,应设置测压孔或压差计。在新风管、送风、回风总管上,宜设置风量测定孔。

5.5.4　风管、附件及辅助材料的选择,应符合现行国家标准《建筑设计防火规范》GB 50016 和《医药工业洁净厂房设计规范》GB 50457 的有关规定。

6 给 排 水

6.1 一 般 规 定

6.1.1 用水量、排水量的计算,应符合现行国家标准《建筑给水排水设计规范》GB 50015 的有关规定。

6.1.2 洁净区的给排水干管应敷设在技术夹层或技术夹道内,也可地下埋设。

6.1.3 洁净区内应少敷设管道,与本区域无关管道不宜穿越,引入洁净区内的支管宜暗敷。

6.1.4 洁净区内的管道外表面应采取防结露措施。防结露外表层应光滑、易于清洗,并不得对洁净区造成污染。

6.1.5 给排水支管穿越洁净区顶棚、墙壁和楼板处宜设置套管,管道与套道之间应密封,无法设置套管的部位应采取密封措施。

6.2 给 水

6.2.1 中药厂房应根据生产、生活和消防等各项用水对水质、水温、水压和水量的要求,分别设置直流、循环或重复利用的给水系统。

6.2.2 卫生器具应采用节水型器具。

6.2.3 给水管道不得布置在遇水会引起燃烧、爆炸的原料、产品和设备的上方。

6.2.4 循环冷却水系统应符合下列规定:

　　1 循环冷却水系统宜采用敞开式,采用间接换热时,可采用密闭式;

　　2 水温、水质、运行等要求差别较大的设备,循环冷却水系统宜分开设置;

3 敞开式循环冷却水系统的水质应满足被冷却设备的水质要求,且应符合现行国家标准《工业循环冷却水处理设计规范》GB 50050 的有关规定;

4 设备、管道设计时应能使循环系统的余压充分利用。

6.2.5 接提取罐等压力容器给水管道上应设置倒流防止器。

6.2.6 给水系统采用的管材和管件,应符合国家现行有关管材和管件产品标准的要求。管材和管件的工作压力不得大于产品标准公称压力或标称的允许工作压力。

6.2.7 给水管材的选择应符合下列规定:

1 生产、生活给水管应选用耐腐蚀、安装连接方便的管材,可采用不锈钢管、塑料和金属复合管、塑料给水管、铜管;

2 循环冷却水管道宜采用耐腐蚀钢管或复合管;

3 管道的配件宜采用与管道材料相应的材料。

6.2.8 人员净化用室的盥洗室内宜供应热水。

6.3 排　水

6.3.1 排水系统应根据废水来源、废水性质、浓度、水量等因素,设置分流制排水系统。污水应经处理,并应达到国家排放标准后排出。

6.3.2 当工艺废水能产生引起爆炸或火灾的气体时,其排水管道的排出口处必须设置水封井。

6.3.3 洁净区内的排水设备以及与重力回水管道相连的设备,必须在设备排出口以下部位设置水封装置,水封高度不应小于50mm。排水系统应设置透气装置。

6.3.4 排水立管不应穿过空气洁净度等级为 A 级、B 级的洁净区;排水立管穿越其他洁净区时,不应设置检查口。

6.3.5 蒸汽凝结水、循环水等有压排水不得与重力流排水系统直接连接,必须连接时,应采取消能与降温措施。

6.3.6 洁净区地漏的设置应符合下列规定:

1 空气洁净度等级为 **A** 级、**B** 级的洁净区内,不应设置地漏。

2 空气洁净度等级为 C 级、D 级的洁净区内,不宜设置地漏;需设置时,地漏材质应不易腐蚀,内表面应光洁、易于清洗,应设置开启方便的密封盖,并应设置防止废水、废气倒灌的液封装置,同时应设置消毒液灌注槽。

3 洁净区内不应设置排水沟。

6.3.7 洁净区应采用不易积存污物并易于清扫的卫生器具、管材、管架及其附件。

6.3.8 含药渣的房间地漏应采用网框式地漏,含药渣的生产污水排入厂区污水管网前,应经过预处理。

6.3.9 排水管道材料的选择应符合下列规定:

1 排水管道应选用柔性接口机制排水铸铁管、排水塑料管及其管件;

2 当排水温度大于 40℃时,应选用金属管或耐热复合管,并应采取降温措施。

6.3.10 屋面雨水设计应符合下列规定:

1 屋面雨水排水宜采用重力流;

2 屋面雨水量的计算,应符合现行国家标准《建筑给水排水设计规范》GB 50015 的有关规定;

3 屋面雨水排水管道的排水设计重现期取值不宜小于 10 年;

4 屋面雨水排水工程与溢流设施的总排水能力不应小于其 50 年重现期的雨水量。

7 电 气

7.1 配 电

7.1.1 生产设施的用电负荷级别,应根据现行国家标准《供配电系统设计规范》GB 50052 及生产工艺要求确定。

7.1.2 净化空调系统负荷、照明负荷宜专线供电。

7.1.3 生产厂房内应采用 TN-S 接地系统。

7.1.4 生产设施的配电设备宜根据环境条件及工艺要求选择。洁净区内不应选用大型落地设备,小型设备应采用不锈钢壳体并暗装,防护等级不应低于 IP54。爆炸危险区域内应选用与其防爆级别及组别相适应的防爆电气设备。

7.1.5 配电回路宜按中药药品生产设施厂房内的防火分区及生产区域设置。

7.1.6 洁净区域或人员密集场所,宜选用低烟无卤型电线电缆。

7.1.7 低温(高温)环境或腐蚀区域,宜选用硅橡胶等耐低温(高温)或防腐蚀电缆。

7.1.8 引至洁净区域内设备的明敷管线应采用不锈钢管。

7.1.9 爆炸危险区域内的管线应采用低压流体输送用镀锌焊接钢管明敷。

7.2 照 明

7.2.1 生产厂房光源应根据房间高度及生产使用要求确定,宜选用节能环保光源。

7.2.2 照明灯具及附件应根据房间性质、建筑形式及环境条件等选择,并应符合下列规定:

    1 洁净区内应选用不易积尘、便于擦拭、易于消毒灭菌的照明灯具；

    2   爆炸危险区域内应选用与其防爆级别及组别相适应的防爆灯具；

    3   一般区域库房宜选用防电燃类灯具或三防灯具；

    4   钢平台下宜选用点光源、防水型灯具。

7.2.3   生产厂房洁净生产区域的照度宜为300lx，其余区域照度及功率密度应符合现行国家标准《建筑照明设计标准》GB 50034的有关规定。

7.2.4   洁净区域内应设置备用照明，备用照明持续供电时间不宜小于30min。

7.2.5   洁净区及其辅助房间区域吊顶内宜按需要设置检修照明。

7.2.6   生产设施应根据工艺需要设置局部照明。

7.3   防雷及接地

7.3.1   生产厂房防雷类别应根据建筑物性质确定。防雷类别划分及防雷措施，应符合现行国家标准《建筑物防雷设计规范》GB 50057的有关规定。

7.3.2   生产厂房内电源入户处应设置总等电位联结端子板。

7.3.3   洁净区域吊顶内应预埋接地连接板，不应少于2处。生产厂房洁净空调机房应预埋接地连接板。

7.3.4   爆炸危险区域内应预埋接地连接板，洁净爆炸危险区域内宜采用不易锈蚀的接地端子。接地干线应在爆炸危险区域的不同方向与接地体连接不少于2处。

7.3.5   **爆炸危险区域人员入口处应设置人体静电导出装置，爆炸危险区域内每个房间均应设置防静电接地干线。**

7.3.6   生产设施接地设计应符合现行国家标准《交流电气装置的接地设计规范》GB/T 50065及《爆炸危险环境电力装置设计规范》GB 50058的有关规定。

8 热能动力

8.1 热力站

8.1.1 用热车间宜设置热力站。热力站应设置外窗。

8.1.2 供暖热水和空调热水宜采用高效率换热机组。

8.1.3 生活热水可根据地区条件选用太阳能生活热水系统、空气源热泵热水系统或换热机组。

8.1.4 饱和蒸汽的输入和使用点的压差不小于 0.2 MPa 时,应设置减压阀。

8.1.5 过热蒸汽的输入和使用点的压差不小于 0.2 MPa 时,应设置减压减温装置。

8.1.6 输入的蒸汽主管应设置主蒸汽阀、汽水分离器、蒸汽过滤器和计量装置。蒸汽过滤器两端宜设置压力表。

8.1.7 蒸汽凝结水宜回收利用,可采用凝结水自动回收装置,并宜低位布置。

8.1.8 热力设备和管道、阀门及管件应保温。

8.1.9 排汽管应接往室外安全处。

8.2 柴油发电机房

8.2.1 柴油发电机房宜靠近配电房并邻两面外墙,不应设置在厕所、浴室或其他经常积水场所的正下方或贴邻。

8.2.2 柴油发电机宜选用风冷式机组。柴油发电机房应采取减振、隔声、防油浸的措施,应预留进风和排风的孔洞或风道。

8.3 室内热力管道

8.3.1 室内热力管道宜沿墙、柱架空敷设。热力管道宜按 0.3%

顺坡敷设。

8.3.2 穿越车间的热力管道连接应采用焊接。热力管道宜采用自然补偿或方形补偿器进行补偿。

8.3.3 汽水管道的低点和可能积水处，应装设疏、放水阀。放水阀的公称直径不应小于 20mm。汽水管道的高点应装设放气阀，放气阀的公称直径宜为 15mm～20mm。

9 弱电、仪表与自动化控制

9.1 电话系统和计算机网络系统

9.1.1 中药药品生产厂房内应设置与厂房内外联系的通信装置。

9.1.2 中药药品生产厂房洁净区内宜选用洁净电话。

9.1.3 防爆区内设置的电话应采取防爆隔离措施。

9.1.4 中药药品生产厂房中工艺有要求的房间、记录室、自控室等房间,宜设置计算机网络系统。

9.2 视频监控系统

9.2.1 中药药品生产厂房可根据生产管理、生产工艺及安全防护的要求,设置视频监控系统。

9.2.2 安装于防爆区内的摄像机应采取防爆隔离措施。

9.3 可燃气体和有毒气体检测报警系统

9.3.1 中药药品生产厂房中易燃、易爆气体的储存、使用场所,管道入口室及管道阀门等易泄漏的地方,应设置可燃气体探测器。有毒气体的储存和使用场所应设置有毒气体检测器。报警信号应联动启动或手动启动相应的事故排风机,并应将报警信号送至有人值守的控制室。

9.3.2 可燃气体和有毒气体探测器的安装高度,应根据工艺介质的特性确定。

9.3.3 可燃气体和有毒气体检测报警系统的设置,应符合现行国家标准《石油化工可燃气体和有毒气体检测报警设计规范》GB 50493 的有关规定。

9.4 净化空调系统监测与控制

9.4.1 中药药品生产厂房净化空调系统应设置自动监测与控制系统,并应具有下列功能:

1 房间的温度、湿度自动控制;

2 送风风量(风速)监测;

3 粗、中、高效过滤器压差监测报警;

4 送风机、排风机、除尘风机等的启停、状态显示及联锁控制;

5 送风机频率监测、变频控制;

6 季节模式转换控制;

7 火灾报警系统发出火警信号时自动安全停机。

9.4.2 洁净区与非洁净区之间、不同洁净级别的洁净室之间、气锁间两端、工艺过程要求有压差的房间,应设置洁净区压差指示计。

9.4.3 洁净室(区)的气锁间应设置气锁门联锁装置。

9.4.4 净化空调冷热源和空调水系统的监测和控制,应符合现行国家标准《采暖通风与空气调节设计规范》GB 50019 的有关规定。

9.5 无菌环境监测系统(EMS)

9.5.1 无菌环境监测系统应生成用于产品放行和法规机构检查需要的报表,并应提供证明空调系统始终满足环境设计条件的文件证据。

9.5.2 无菌环境监测系统应在线实时监测和记录洁净室关键空气参数。

9.5.3 无菌环境监测系统宜单独设置系统,无菌环境监测系统的检测装置及系统硬件、软件等不宜与其他自控系统合用。

9.5.4 无菌环境监测系统中,所监测的点应为生产过程中的风险关键点。关键点的选择应进行系统的风险评估。

9.5.5 无菌环境监测系统应具有警戒限和行动限越限报警及显示功能。

9.5.6 无菌环境监测系统应支持数据自动采集和电子记录,并应确保电子数据的有效性、可靠性和完整性。

9.5.7 对悬浮粒子和浮游菌的监测,应符合现行国家标准《医药工业洁净室(区)悬浮粒子的测试方法》GB/T 16292 及《医药工业洁净室(区)浮游菌的测试方法》GB/T 16293 的有关规定。

9.6 生产过程自动控制系统

9.6.1 中药药品生产过程宜设置自动控制系统。

9.6.2 中药药品生产过程自动控制系统宜设置单独的自控室。自控室的位置应设置在无爆炸、火灾危险的区域内。

9.6.3 仪表选型应计及环境特征及自然条件的影响,应选用技术先进、使用可靠、维护安装方便和经济合理的仪表。

9.6.4 中药药品生产过程及重要设备应具有事故联锁及报警功能。

10 安全与消防

10.1 安　　全

10.1.1 生产厂房安全设施设计应根据生产过程中存在的危险、有害因素确定。安全设施应与生产设施同时设计、同时施工、同时投入使用。

10.1.2 生产中存在易燃易爆介质的工序应进行本质安全设计，应按有关危险化学品生产许可的规定执行。

10.1.3 爆炸区域的设备应符合现行国家标准《建筑设计防火规范》GB 50016 和《爆炸危险环境电力装置设计规范》GB 50058 等的有关规定。

10.1.4 柴油发电机房宜有两个出入口，其中一个应满足搬运机组的需要。门应为甲级防火门，并应采取隔声措施，同时应向外开启。发电机间与控制室、配电室之间的门和观察窗应采取防火、隔声措施，门应为甲级防火门，并应开向发电机间。

10.1.5 柴油发电机房内应设置储油箱间，总储存量不应大于8.0h 的需要量，且不应大于 1m³。储油箱间应采用防火墙与发电机间隔开；当必须在防火墙上开门时，应设置甲级防火门，并应下沉 400mm 或做 400mm 门坎。

10.1.6 燃油系统设备与管道应采取防静电接地措施。

10.1.7 从外部进入储油间内的燃油管道应设置自动和手动切断阀。储油间的油箱应密闭，并应设置通向室外的通气管，通气管应设置带阻火器的呼吸阀。油箱的下部应设置防止油品流散的设施。

10.2 消　　防

10.2.1 生产厂房的消防设计应符合现行国家标准《建筑设计防

火规范》GB 50016 及《医药工业洁净厂房设计规范》GB 50457 的有关规定。

10.2.2 生产厂房的消防给水和灭火设施的设计,应根据生产的火灾危险性类别、建筑耐火等级、建筑物体积以及火灾特点等确定。

10.2.3 生产厂房应设置独立的室内消防给水系统。

10.2.4 当设置气体灭火系统时,应符合现行国家标准《气体灭火系统设计规范》GB 50370 的有关规定。灭火剂宜选用七氟丙烷、IG541 混合气体、S 型气溶胶等。

10.2.5 生产厂房内灭火器的配置应符合现行国家标准《建筑灭火器配置设计规范》GB 50140 的有关规定。

10.2.6 消防给水管道应采用内外壁热镀锌钢管或涂覆其他防腐材料的钢管,以及铜管、不锈钢管。

10.2.7 生产厂房的耐火等级不应低于二级。

10.2.8 生产厂房内洁净区的顶棚和壁板(包括夹芯材料)应采用不燃材料,且不得采用燃烧时产生有害物质的有机复合材料。建筑构件的燃烧性能和耐火极限应符合现行国家标准《建筑设计防火规范》GB 50016 的有关规定。

10.2.9 技术竖井井壁应采用不燃材料,其耐火极限不应低于1.0h。井壁上的检查门应采用丙级防火门;竖井内各层或间隔一层楼板处,应采用与楼板耐火极限相同的非燃烧体作水平防火分隔;穿越水平防火分隔的管线周围空隙,应采用耐火材料紧密填堵。

10.2.10 安全出口应分散设置,从生产地点至安全出口不应经过曲折的人员净化路线,并应设置疏散标志,安全疏散距离应符合现行国家标准《建筑设计防火规范》GB 50016 的有关规定。

10.2.11 有爆炸危险的生产区域宜靠单层厂房的外墙或多层厂房的顶层布置,并应采取防爆措施与厂房的其他区域分隔,应在外墙或屋面设置泄压设施,泄压设施的泄压值应符合现行国家标准

《建筑设计防火规范》GB 50016 的有关规定。

10.2.12 消防用电设备的配电应符合现行国家标准《建筑设计防火规范》GB 50016 的有关规定。

10.2.13 穿越不同区域之间墙或楼板处的孔洞,应采用不燃材料封堵。当管道为难燃及可燃材料时,应在墙或楼板两侧的管道上采取防火措施。

10.2.14 柴油发电机房应设置火灾报警装置,应设置与柴油发电机容量和建筑规模相适应的灭火设施。

10.2.15 生产厂房应设置火灾自动报警系统。

10.2.16 生产厂房的生产区(包括技术夹层)等应设置火灾探测器,生产区及走廊应设置手动火灾报警按钮。

10.2.17 火灾自动报警系统应设置在消防控制室,消防控制室应设置直接报警的外线电话。消防控制室内与其无关的电气线路及管路不得穿过。

10.2.18 安装于防爆区内的火灾探测器、手动报警按钮、消火栓按钮、火灾警报装置等,应采取防爆隔离措施。

10.2.19 生产厂房的火灾自动报警及消防联动控制系统的控制及显示功能,应符合现行国家标准《建筑设计防火规范》GB 50016 和《火灾自动报警系统设计规范》GB 50116 等的有关规定。

11 施 工

11.1 施 工 组 织

11.1.1 施工应符合设计要求,当无法满足设计要求,必须修改设计图纸时,应经原设计单位确认或签证。项目变更与产品质量相关时应经评估、审核和批准后再进行施工。

11.1.2 深化施工详图设计应根据用户需求进行,并应获得原设计单位的确认,同时应经审核、批准后再进行施工。洁净区域设计图纸深化施工详图设计,应符合现行国家标准《建筑设计防火规范》GB 50016、《医药工业洁净厂房设计规范》GB 50457 和《洁净室施工及验收规范》GB 50591 的有关规定。

11.2 建 筑 工 程

11.2.1 生产设施洁净区域主体结构的施工,应与洁净室(区)机电设备安装工程、洁净工艺管道及设备安装工程相配合,预留孔(洞)、预埋管(件)应符合设计要求,并应采取加固和密封措施。

11.2.2 生产设施主体结构和屋面防水工程验收合格前,不得进行后续工序的施工,施工工序应符合现行国家标准《洁净室施工及验收规范》GB 50591 的有关规定。

11.2.3 生产设施洁净室(区)装饰装修施工过程中的现场清洁、洁净封闭管制及其成品保护,应符合现行国家标准《洁净室施工及验收规范》GB 50591 的有关规定。

11.2.4 生产设施洁净室(区)主体结构材料及施工质量,应符合现行国家标准《建筑设计防火规范》GB 50016、《医药工业洁净厂房设计规范》GB 50457 和《洁净室施工及验收规范》GB 50591 的有关规定和设计要求。

11.2.5 生产设施洁净室(区)装饰施工工序的安排与搭接应配合其他专业穿插进行。洁净室(区)围护结构及其附件的施工工序和施工质量,应符合现行国家标准《洁净室施工及验收规范》GB 50591 的有关规定和设计要求。

11.2.6 进行生产设施洁净室(区)装饰装修工程深化施工详图设计时,施工单位应提供下列资料:

1 装饰装修的技术要求和验收标准;

2 吊顶、墙体用金属壁板模数选择;

3 吊顶、墙板、门窗、送(回)风口、灯具、报警器、预留孔洞等的综合布置图和气密性节点详图;

4 门窗构造和节点图、金属壁板安装节点图。

11.2.7 生产设施洁净室(区)内数量多、尺寸大、有规律的开孔及封边,应在洁净室板材生产工厂完成,并应采用内龙骨对预留孔四周进行加固,同时,应采用马槽形式铝合金材料对开孔周边进行封闭。所有现场开孔应经审批同意,并应统一安排开孔。

11.2.8 生产设施洁净室(区)墙体面板接缝宽度宜为 2mm～4mm,间隙应均匀一致,板缝间隙误差不得大于 0.5mm,并应在正负压两面用中性密封胶均匀密封,密封胶应平整、光滑,宜低于板面,不得有间断、杂质。

11.2.9 生产设施洁净室(区)不同材料相接处的接缝应修平、堵严、清洁,并应用密封材料填充。门扇密封条应采用弹性中空形式,并应满足其气密性要求。隐蔽工程的检修口周边应粘贴气密性的密封垫。

11.2.10 生产设施洁净室(区)装饰装修工程的施工,应与其他专业工程施工密切配合。管线暗敷于洁净室墙顶板内,并排数量较多时,应在工厂预制。

11.3 安 装 工 程

Ⅰ 一 般 规 定

11.3.1 生产设施洁净室(区)机电安装工程所用材料及其施工工

序、施工质量,应符合现行国家标准《医药工业洁净厂房设计规范》GB 50457、《洁净室施工及验收规范》GB 50591、《电气装置安装工程接地装置施工及验收规范》GB 50169、《工业金属管道工程施工规范》GB 50235 和《工业金属管道工程施工质量验收规范》GB 50184 的有关规定和设计要求。

11.3.2 施工单位应按生产设施建筑特点,并结合装饰装修和各专业管线布置要求合成机电系统管线综合布置图,并应经审核、确认后再执行。管线综合布置应简捷,并应便于操作、检修,不应影响系统的使用功能,同时应符合设计要求。

11.3.3 生产设施内各专业管道穿越洁净室(区)墙顶板、楼板和特殊构造时,应符合下列规定:

    1 管道穿越伸缩缝、抗震缝、沉降缝时应采用柔性连接;

    2 管道穿越墙顶板、楼板时应设置套管,套管与管道之间的间隙应采用不易产尘的不燃材料密封填实;

    3 管道接口、焊缝不得设在套管内。

11.3.4 生产设施技术夹层内各专业管道应自行独立设置管道吊架,不可与天花吊顶的吊架共用。安装于洁净室(区)内的管道、支吊架材料应采用不易生锈、产尘,且外表面光滑、易于清洁的不锈钢材料。外露铁件应做防腐、防锈处理。

11.3.5 生产设施洁净室(区)配管上的阀门、连接件的设置,应符合下列规定:

    1 阀门、法兰、焊缝和各种连接件的设置应便于检修,并应预留操作维修空间,不得紧贴墙体、吊顶、地面、楼板或管架;

    2 易燃、易爆、有害流体管道,高纯介质管道,以及有特殊要求管道的阀门、连接件设置,应符合现行国家标准《工业金属管道工程施工规范》GB 50235 和《工业金属管道工程施工质量验收规范》GB 50184 的有关规定和设计要求;

    3 输送洁净工艺气体、制药用水管道上的阀门,在安装前应逐个进行压力试验和严密性试验,不合格者不得使用。

11.3.6 生产设施洁净室（区）的噪声控制设施,宜与建筑装饰装修、暖通空调系统等同步施工。

11.3.7 生产设施内与设备连接的主要固定管道,管道名称及其流向标识应符合现行国家标准《工业管道的基本识别色、识别符号和安全标识》GB 7231 的有关规定和设计要求。

Ⅱ 公 用 系 统

11.3.8 给排水系统应符合下列规定:

1 生产设施洁净室（区）地漏应采用不易腐蚀,且内表面光滑、不易结垢的洁净卫生级不锈钢地漏。地漏表面应加设开启方便的不锈钢密封盖,应设置防止废水、废气倒灌的液封装置,并应设置消毒液灌注槽。

2 生产设施洁净室（区）内与回水管道相连的设备、卫生器具和排水设备的排出口以下部位,应设置水封装置。

11.3.9 供电系统应符合下列规定:

1 生产设施洁净室（区）内电气装置和电气线路的线管、线槽、桥架的敷设,应符合现行国家标准《洁净室施工及验收规范》50591 的有关规定和设计要求,且宜采用暗装;无法进行暗装时,其外表面应采用平整光滑,不产尘、积尘,易清洁的不锈钢材料,且不宜设置易积尘的支架。

2 洁净室（区）围护结构的施工,应配合电气线管暗敷和嵌入式配电箱安装工作。要求必须进行地面暗敷的管线,应在洁净室（区）地面施工前完成管沟施工及敷管。

3 电气线路的线管、线槽、桥架穿越洁净室（区）墙顶板时,应采用穿管敷设、气密构造,与墙顶板的接缝应进行密封处理,并应加设穿越装饰盖板。

4 洁净室（区）内嵌入式安装的配电盘（柜）、接线盒、插座箱、照明灯具、开关、洁净电话等与墙体之间的接缝,应进行密封处理。当照明灯具采用吸顶安装时,灯具与顶棚之间宜采用气密性垫片密封,并应在接缝处涂以密封胶。

5 生产设施防雷接地设施的施工安装应符合下列规定：

    1) 接地体及其引出线和焊接部位应进行表面除锈、去除污物和残留焊渣，并应进行防锈处理；

    2) 接地线穿越洁净室墙顶板和楼板位置宜采用套管，并应进行密封处理；

    3) 在洁净室（区）内明敷的接地线与建筑墙体、顶棚之间的间隙宜为 10mm～15mm，与地面之间的距离宜为 250mm～300mm；

    4) 明敷的接地线不应妨碍设备的安装、维修，应便于检查，并应做标识。

11.3.10 热力系统所用材料及其施工工序、施工质量，应符合现行国家标准《工业金属管道工程施工规范》GB 50235、《工业金属管道工程施工质量验收规范》GB 50184 和《工业设备及管道绝热工程施工质量验收规范》GB 50185 的有关规定和设计要求。

11.3.11 生产设施洁净室（区）内明装非洁净公用系统管道、管件、阀门时，应采用不锈钢材质，或采用不锈钢材质的材料包裹。

Ⅲ 工艺管道系统

11.3.12 生产设施工艺管道的施工工序、作业条件、材料预制、施工组装及其材料管理，应符合现行国家标准《洁净室施工及验收规范》GB 50591、《工业金属管道工程施工规范》GB 50235、《工业金属管道工程施工质量验收规范》GB 50184 和《工业设备及管道绝热工程施工质量验收规范》GB 50185 的有关规定和设计要求。

11.3.13 生产设施工艺管道安装施工作业环境，应符合下列规定：

    1 预制场材料和预制品存放场地应清洁，并应铺设无尘的橡胶板或纸板；

    2 在预制场清洁室内进行卫生级配管作业时，不得进行非不锈钢作业；

    3 在作业期间，预制场地和现场清洁室应每日清理废旧料，并应保持清洁；

4 不应将碳钢材料和附有油脂类的工具带入预制场所和现场清洁室；

5 进入现场清洁室，应穿戴清洁工作服、胶鞋和软质帽子。

11.3.14 不锈钢洁净卫生级管道安装，应符合下列规定：

1 管道安装作业不连续时，应采用洁净材料对所有的管口进行封闭处理。

2 管材切割宜采用不锈钢带锯或等离子法进行切割。切口表面应平整、光洁，端面倾斜偏差不应大于管材外径的 1%，且不得超过 3mm，凸凹误差不得超过 1mm。

3 不锈钢管的焊接宜采用自动氩弧焊，焊接接头应为全焊透结构，管道内壁应光滑。焊接前焊缝处油污应处理干净，焊接后焊接接头表面应进行钝化处理。

4 不锈钢管道采用法兰连接时，法兰紧固螺栓应采用不锈钢材质，法兰垫片宜采用金属垫片或氯离子含量不超过 50×10^{-6}（50ppm）的非金属垫片。

5 不锈钢管道不得直接与碳素钢支架、管卡接触，应以塑料或橡胶垫片隔离，或采用氯离子含量不超过 50×10^{-6}（50ppm）的非金属垫片。法兰螺栓应采用不锈钢材质。

11.3.15 生产设施洁净室（区）不锈钢管道应脱脂后再安装。不锈钢管道焊接冷却后，应将管道内的残留物清洗干净再进行表面酸洗钝化处理，直至氧化皮全部脱落并呈现金属光泽。涂刷钝化液 20min 后应用软化水进行清洗吹干。

11.3.16 生产设施的工艺辅助设施及工艺管道的安装，不应出现任何死角和盲管现象。

11.3.17 生产设施中纯化水、注射用水的制备、储存和分配，应能防止微生物的滋生和污染。储罐和输送管道所用材料应无毒、耐腐蚀。注射用水储罐的通气口应安装不脱落纤维的疏水性除菌滤器。

11.3.18 工艺管道穿越洁净室(区)围护结构时,应加设不锈钢材质的套管。套管与洁净室(区)墙顶板、管道与套管之间的缝隙,应填充中性硅胶密封。

11.3.19 工艺管道保温完毕并验收合格后,洁净区内宜采用0.5mm不锈钢板作绝热保护层;一般区内宜采用0.5mm金属薄板作绝热保护层。

Ⅳ 通风、除尘、冷冻、净化空调系统

11.3.20 生产设施洁净室(区)通风、除尘、冷冻、空调净化系统安装,应与土建结构施工和装饰装修工程相互配合,所用材料及其加工制作、施工工序和施工质量,应符合现行国家标准《医药工业洁净厂房设计规范》GB 50457、《洁净室施工及验收规范》GB 50591、《通风与空调工程施工规范》GB 50738 和《通风与空调工程施工质量验收规范》GB 50243 的有关规定和设计要求,且不得产生或散发对产品质量和生产人员健康有害的物质。

11.3.21 生产设施排风系统的安装宜与净化空调系统同步进行。接至排风罩、排风点的支管安装,宜在洁净室(区)围护结构完成后进行,并应采取防尘措施。排风管穿越屋面或外墙处应做好防水处理,不得有渗水现象。

11.3.22 生产设施空调系统风管的加工制作和清洁应符合现行国家标准《洁净室施工及验收规范》GB 50591 的有关规定,风管吊装前,应再次检查密封薄膜有无破损,对密封破损的风管应重新清洗。

11.3.23 净化空调机组应在拼装结束并完成内部清洗后,再安装初效及中效过滤器。洁净空调系统风管空吹和空调末端装置的安装,应在洁净室围护系统完成保洁,并应满足清洁要求后进行。

Ⅴ 弱电、仪表与自控系统

11.3.24 生产设施内弱电、仪表与自控系统的安装应与洁净室装饰装修及其相关的机电安装工程施工相互配合,所用材料、施工工序和施工质量,应符合现行国家标准《医药工业洁净厂房设计规范》GB 50457 和《洁净室施工及验收规范》GB 50591 的有关规定和设计要求。

11.3.25 生产设施内仪器仪表在安装前应校准或校验，并应符合设计要求和用户使用功能规定的准确度，且测量能力应满足要求。

Ⅵ 消防系统与安全设施

11.3.26 生产设施洁净室（区）内消防、安全设施设备安装，应符合现行国家标准《建筑设计防火规范》GB 50016、《医药工业洁净厂房设计规范》GB 50457 和《洁净室施工及验收规范》GB 50591 的有关规定和设计要求。

11.3.27 生产设施洁净室（区）内的消防管应采用暗敷，消火栓箱的箱体部分应采用表面光洁平整的不锈钢或铝合金材料制作。

Ⅶ 设 备 安 装

11.3.28 生产设施洁净室（区）内设备的安装应符合生产要求和现行国家标准《洁净室施工及验收规范》GB 50591 的有关规定，应易于清洗、消毒或灭菌，并应便于生产操作和维修保养，同时应能防止差错和减少污染。

11.3.29 生产设施内与产品质量和工艺相关的设备，其供应商交付文件包应符合施工设计图纸、用户需求说明（URS）和国家现行有关药品生产质量管理对验证的要求。

11.3.30 生产设施洁净室（区）装饰装修施工时，宜设置预留设备搬运、就位通道。设备安装宜在建筑内装饰装修和空调系统安装施工基本完成，并进行全面清洁后进行。

11.3.31 生产设施洁净室（区）内与洁净室围护结构相连或穿越洁净室围护结构的设备，其接缝位置应采取密封措施。每台设备安装完毕后、洁净室投入运行前应采取防尘措施，并应暂时封闭设备的送、回、排风（水）口等相关的管道出入口。

11.3.32 中药生产工艺设备的设计、生产制造和安装及其文件和记录，应满足设计要求，并应符合需求说明、供应商技术文件及国家现行有关药品生产质量管理对用户验证的相关要求。

12 验收与确认

12.1 验 收

12.1.1 设备的调试与确认、验收交付应符合现行国家标准《洁净室施工及验收规范》GB 50591 和有关药品生产质量管理的规定。设备/系统调试工作应制定调试计划/方案,并应在调试前得到审核和批准。

12.1.2 完整的调试工作应包含工厂验收测试(FAT)及现场验收测试(SAT)工作。

12.1.3 生产设施的调试及验收应全程进行文件记录,并应符合工程质量管理和工程变更控制的要求。

12.1.4 企业应根据各系统的具体情况,在竣工前或竣工后检查建筑与安装是否与详细设计、预定的建筑及材料标准的要求相一致。

12.1.5 验收检查可非现场或在现场进行。在供应商处进行交货前检查时,应有合同条件约束并履行相关批准手续。

12.1.6 验收阶段用于支持直接影响系统的检查应符合现行国家标准《洁净室施工及验收规范》GB 50591 有关确认的规定。

12.1.7 调节及校准应按现行国家标准《洁净室施工及验收规范》GB 50591 和用户需求说明(URS)的有关规定执行。

12.1.8 企业应根据项目的范围在总调试计划中预先制定好测试计划,明确各系统测试计划的详细程度及内容。

12.1.9 验收阶段进行的测试可用于支持直接影响系统,但测试过程的管理及执行应符合现行国家标准《洁净室施工及验收规范》GB 50591 和药品生产质量管理有关确认的要求。

12.1.10 项目施工前应预先明确项目竣工程序、交付成果与移交方式,以及项目各参与方的职责和权利。

12.1.11 项目竣工验收和移交可按系统或区域分期进行,并应具备所移交系统或区域运行应有的外部接口条件。

12.1.12 移交文件的接收与更新应按预先批准的工作程序执行,并应由专人负责。

12.1.13 项目竣工与移交中交付的文件应包括项目放行文件、项目竣工报告、符合使用证书、最终遗留问题清单、签署好的项目验收文件、分包商评估报告、各方经验教训总结会会议纪要、全套项目文件、各系统的系统手册、竣工图及竣工说明等。

12.2 确　　认

12.2.1 确认及验证工作应纳入项目总计划与总进度。

12.2.2 验证总计划宜在项目调试与确认前的计划阶段编制并通过批准。

12.2.3 企业应在评估系统的安装、运行特征及参数对产品质量的潜在影响的基础上对直接影响系统进行确认。

12.2.4 安装确认(IQ)及运行确认(OQ)可与调试同时进行,但应预先制定确认方案并记录,并应进行额外的测试和检查,以查证是否满足设计的要求及功能说明的要求。

12.2.5 确认及验证工作应包括终端使用者参与,并应包括进行供应商审计、接受供应商文件、接受培训等。

12.2.6 在开始清洁及工艺验证活动前,应完成关键设备和辅助系统的确认。确认宜单独或联合完成,并应符合下列规定:

　　1 设备选型前应提出用户需求说明(URS),应至少包括国家现行有关药品生产质量管理的符合性要求、安全及环保要求、符合有关标准要求、符合工艺及产品相关要求等;

　　2 在设计确认阶段,设备选型时应重点考虑供应商资质、设备是否能够满足工艺需求、生产能力是否与批量相适应、生产场地与设备大小是否匹配、设备材质等对产品是否有影响、设备是否易于操作和清洁等方面的内容；

　　3　在安装确认阶段，应重点确认设备的材质、安装位置及操作空间、通风设施、配套设备、管道连接、仪器仪表是否符合预定要求；

　　4　在运行确认阶段，应根据草拟的标准作业程序对设备空载下的运行状态进行检查，确认标准作业程序的实用性，确保设备运行平稳、仪表可靠且相应调节控制措施有效；

　　5　在设计确认、安装确认、运行确认完成后，应进行性能确认。通过实际负载生产的方法，对设备运行可靠性、关键工艺参数的稳定性和产品质量的均一性和重现性进行确认。

本规范用词说明

1 为便于在执行本规范条文时区别对待,对要求严格程度不同的用词说明如下:

　1)表示很严格,非这样做不可的:

　　正面词采用"必须",反面词采用"严禁";

　2)表示严格,在正常情况下均应这样做的:

　　正面词采用"应",反面词采用"不应"或"不得";

　3)表示允许稍有选择,在条件许可时首先应这样做的:

　　正面词采用"宜",反面词采用"不宜";

　4)表示有选择,在一定条件下可以这样做的,采用"可"。

2 条文中指明应按其他有关标准执行的写法为:"应符合……的规定"或"应按……执行"。

引用标准名录

《建筑结构荷载规范》GB 50009

《建筑给水排水设计规范》GB 50015

《建筑设计防火规范》GB 50016

《采暖通风与空气调节设计规范》GB 50019

《建筑照明设计标准》GB 50034

《工业建筑防腐蚀设计规范》GB 50046

《工业循环冷却水处理设计规范》GB 50050

《供配电系统设计规范》GB 50052

《建筑物防雷设计规范》GB 50057

《爆炸危险环境电力装置设计规范》GB 50058

《交流电气装置的接地设计规范》GB/T 50065

《火灾自动报警系统设计规范》GB 50116

《建筑灭火器配置设计规范》GB 50140

《电气装置安装工程接地装置施工及验收规范》GB 50169

《工业金属管道工程施工质量验收规范》GB 50184

《工业设备及管道绝热工程施工质量验收规范》GB 50185

《建筑内部装修设计防火规范》GB 50222

《工业金属管道工程施工规范》GB 50235

《通风与空调工程施工质量验收规范》GB 50243

《气体灭火系统设计规范》GB 50370

《医药工业洁净厂房设计规范》GB 50457

《石油化工可燃气体和有毒气体检测报警设计规范》GB 50493

《洁净室施工及验收规范》GB 50591

《通风与空调工程施工规范》GB 50738

《医药工艺用水系统设计规范》GB 50913
《工业管道的基本识别色、识别符号和安全标识》GB 7231
《工业企业厂界环境噪声排放标准》GB 12348
《大气污染物综合排放标准》GB 16297
《医药工业洁净室(区)悬浮粒子的测试方法》GB/T 16292
《医药工业洁净室(区)浮游菌的测试方法》GB/T 16293

中华人民共和国国家标准

中药药品生产厂工程技术规范

GB 51069 - 2014

条文说明

制 订 说 明

《中药药品生产厂工程技术规范》GB 51069—2014,经住房城乡建设部 2014 年 12 月 2 日以第 664 号公告批准发布。

为便于广大设计、施工、科研、学校等单位有关人员在使用本规范时能正确理解和执行条文规定,编制组按章、节、条顺序编制了本规范的条文说明,对条文规定的目的、依据以及执行中需要注意的有关事项进行了说明,还着重对强制性条文的强制性理由作了解释。但是,本条文说明不具备与规范正文同等的法律效力,仅供使用者作为理解和把握规范规定的参考。

目　　次

3 工艺与设备

3.1 工艺系统设计

3.1.1 安全可靠一方面指生产出的产品安全可靠;一方面指生产运行中工艺系统安全可靠,正常情况下不发生安全生产事故。具有可重现性是指生产出的产品质量稳定,不同批次产品的质量应一致。

3.1.2 因中药含有蛋白质、糖类等,能为微生物的生长提供充足的营养,如果生产过程受到微生物的污染,在适宜的温度和湿度条件下微生物将大量繁殖造成变质,因此要采取控制措施。如控制药材洗润到干燥的时间,控制提取液和流浸膏贮存温度和时间等。

3.1.3 因中药生产的特殊性要求各生产过程设备的生产能力相匹配,如清洗后的药材和提取后的药液若后续处理设备生产能力不足,中间产品停留时间过长会造成中间产品变质。

本条第 4 款指工艺系统设计应满足顾客提出的设计要求,达到设计验证的目的。

3.1.4 特殊生产工艺系统指细胞毒性、一般毒性药材,部分动物类、难以清洁药品的生产工艺系统。针对细胞毒性和毒性药材在生产过程中可能对生产人员和生产环境造成不利的影响,需采取一定的防护措施保证生产安全,故要求生产工艺系统宜独立设置;部分动物类由于需要特殊的设备,生产过程中产生难闻的气体,对其他药品生产产生影响,故要求生产工艺系统宜独立设置;难以清洁药品由于清洗验证无法保证无交叉污染,故要求生产工艺系统宜独立设置。独立设置是指整个工艺系统。

3.1.5 因中药材的成分复杂,提取后蒸出的溶剂残留的杂质可能会对产品的质量和安全性有不利影响。套用回收的溶剂宜用在同一品种,并宜使用在同一工序;若经过验证不会对产品造成风险,不同品种之间的溶媒可以相互套用。

3.1.6 提取后的药渣易腐烂,对生产环境影响较大,同时易造成大量微生物和蚊虫的滋生,对药品生产环境产生不利影响。

3.2 工艺设备

3.2.1 中药生产设备的设计、选型、安装、改造和维护必须符合预定的生产要求,具体来说是指:①选择主要品种的产量进行设计;②主要产品工艺相近或相似;③有一定前瞻性的生产量预估;④合理进行各生产单元物料平衡,避免存在"卡脖子"单元;⑤设备布局尽可能减少中间环节物料传递距离;⑥考虑以后主要品种的产量变化时设备的替换,预留位置;⑦操作的便捷及安全性;⑧从网站搜索相关资料时,一定要进行实地考察,了解设备制造企业的生产规模、生产能力、加工设备能力、技术开发能力和服务能力等,对于压力容器等产品,还应查验相应资质证书;⑨尽可能选择同一厂家生产的设备,选用不同厂家设备时,应注意产品后续服务的衔接,避免当生产出现问题时,相关设备制造企业互相推卸责任。

中药生产设备应当尽可能降低产生污染、交叉污染、混淆和差错的风险。如中药的粉碎在管理上容易忽视的环节就是卫生要求,有的企业生药粉碎和净药粉碎合在一处,没有分开,或者为了节约设备成本,使用同一台设备,很容易发生污染和交叉污染。所以,在净药粉碎环节要注意设备的选型、安装,设备要选择结构简单、操作方便、易于清洁的,安装时要注意控制台、机房、收粉室的合理布局,既要避免设备的噪音对人体的损害,又要便于观察、控制设备操作,有利于设备操作人员正确使用、维护设备。厂房设计的时候重点要考虑除尘、排风、清洁等需要。综合考虑才能提高设备的利用效率。

中药生产设备要便于清洁,主要指设备的设计和选择要考虑卫生清洁方面的要求,如中药前处理设备生产工序品种复杂,工作量大,产尘多,用水多,空气潮湿,易产生混淆、污染等质量事故,对于如何快速做好设备清洁,减少人员工作量,需要在选型阶段进行考虑。

中药生产设备要便于操作,如中药精制设备,传统剂型与现代剂型的加工方法在疗效差异等方面不相适应,应该从精制专业化设备制造角度入手,考虑使用者的工艺要求,分清精制的对象,开发专业性精制设备。同时还要考虑中药复方的成分复杂性,以及设备的适应性、通用性要求。

中药生产工艺在不断的改进中,所以在设备的设计和选型时要适当预留一些接口,满足工艺改进的需要。某些设备,如动态提取设备,在既不改变传统提取的原有特点,又可保证中药有效组分基本不变的情况下,具有节能、得膏率高、可实现全自动化控制等优点,对于解决中药提取工艺的现代化问题,不失为一个有效的手段,提取效率明显提高。又如分离设备,目前现有的设备大多属于传统的提取、浓缩设备,提取液浓度低、组分复杂、效率低。针对上述问题,除了研究适用于中药药效物质分离的新技术外,利用已有的和新开发的分离技术进行有效组合,或者把两种以上的分离技术合成为一种更有效的分离技术,即多种技术的耦合,有可能达到提高产品选择性和收率、实现过程优化的目的。耦合技术因此成为中药制药工程中一个崭新的研究领域。

中药生产设备原则上是根据生产规模确定,但由于各生产企业销售方式和生产组织方式不同,常会出现忙闲不均的情况,另外中药的生产工艺也在不断的改进中,因此在设备配置时要适当预留并保持一定的弹性,以满足生产安排和工艺改进的需要。

3.2.2 中药药品生产中使用的提取罐、离心机、输送泵等带传动的设备,如密封不良会发生润滑剂、冷却剂泄漏并混入药品造成污染的现象,因此必须采用可靠的密封方式,防止泄漏造成污染。由于常用的机械密封结构无法做到零泄漏,所以提出了用于口服药品的生产设备应选用食品级或质量相当的润滑剂的要求。对于无菌药品的配料设备,为尽可能降低药品受污染风险,应首选无泄漏的磁力搅拌器。

3.2.3 中药生产设备洗药、切药、粉碎、压片等各种机械设备均应选用低噪声产品。其主要原因是相应生产工艺是用物理方法将药材加工成需要的状态,设备会产生较大的噪音,设备选用时应注意选用低噪音产品,并考虑当地环保的要求。

控制设备噪音应首先从声源上着手,设计时选用低噪音设备。在某些情况下,由于技术和经济上的原因难以做到时,则从噪音传播途径上采取隔声降噪措施。

3.2.4 本条为强制性条文。中药来源复杂,其加工生产过程如筛选、拣选、粉碎等工序会产生粉尘,影响生产环境和操作人员的身体健康。另外,中药生产设备直接接触药品,它的材料、结构、性能与药品生产质量关系密切。因此,中药生产过程对于产尘部位采用防尘和防微生物污染的中药生产设备和设施。具体要求可归纳为:①满足生产工艺和质量控制要求;②不污染药品和生产环境;③有利于清洁、消毒或灭菌;④适应验证需要。

3.2.5 设备、机械上的仪器仪表计量装置是否准确,精确度是否符合要求,是防止中药生产过程产生人为差错的重要措施,也是GMP实施的重点。

3.2.6 为防止设备表面的颗粒性物质落入设备内污染药品,设备表面应光洁。保温层表面宜用光洁、不易腐蚀、易清洁的金属外壳如不锈钢材料保护等。

3.2.7 中药生产中使用的精密仪器和设备,如药品检验用的分析仪器以及有精度控制要求的设备和机械等,都有微振控制要求,厂房设计应首先对强振源采取隔振措施,以减小强振源对精密设备、仪器仪表的振动影响,在此基础上,精密设备、精密仪表再根据各自的容许振动值采取被动隔振措施。

3.2.8 在中药生产过程中,为了防止物料在设备内的积聚、不易清洁,造成药品之间的污染和交叉污染,设备结构应简单。设备加工应根据《ASME BPE 生物加工设备》施以正确的焊接、钝化、抛光工艺,否则会污染药品。焊缝和设备内壁应按规定抛光。

药品质量关系生命安全。设备、容器与药品直接接触,内表面材料与药品起反应、释放的微粒混入药品会影响生产药品的安全、有效。对于材料的选用,要根据介质产生腐蚀的情况、材料加工性能、药品生产工艺要求等因素综合考虑。生产无菌药品的设备、容器和工器具应选用优质低碳不锈钢,包括:①注射用水及纯蒸汽系统的储罐和管路;②无菌制剂生产中接触药液、注射用水的设备、容器和管路;③需要蒸汽灭菌的设备、储罐和管路;④蒸汽加热干燥箱、带单向流的干燥箱等。

选择中药生产设备材质时,要了解与什么物质接触,接触是否会发生反应、腐蚀,长期使用是否有什么质量隐患等,如中药前处理设备的材质要根据用户具体的物料成分选择相对应的材质,如常用的 304、316L 等,对有特殊要求的,可采用 PVC、陶瓷、铜等,也可以在接触物料的表面喷涂相应合适的涂层。对设备的外观,可进行亚光、镜面抛光等相应处理。根据不同的需求,选择合适的处理形式,达到最合理的性价比。

从中药前处理设备的设计与材质方面看,重点应考虑易清洗、耐腐蚀、不污染药物。由于药材产地缺乏加工药材的净度标准或标准水平较低,药材的包装物,自身夹带的泥沙、灰尘等杂质易污染设备、环境和药材自身,加上前处理设备需要加工的药材种类多,药材的形态、质地等差异大,不同品种、批次药材加工后都需要清洗设备,药材的前处理属于粗加工范畴。尽管易清洗是制药设备的普遍技术要求,但前处理设备的加工对象和设备所处的工序,决定了其易清洗的要求和清洗方式不同于其他制药设备,最常见的方式是用水擦洗或使用冲洗设备,主要特点是快速、低成本、易操作、易洗净,这种清洗方式也适合中药前处理的生产环境。设备的材质主要应考虑耐水和大气腐蚀,与药材直接接触和需要擦洗的零部件应采用奥氏体不锈钢制造。

3.2.9 出渣车控制室宜靠近出渣区域,以便操作人员能够观察到出渣车运行状况,这样也利于出渣系统管线距离控制室距离的缩短。

3.2.10 中药制药设备验证是对中药药品生产和质量控制中所使用的制药设备及其系统,在设计、制造、安装和运行上的正确性以及工艺适应性的测试和评估,验证设备确实能达到设计要求和规定的技术指标。中药设备设置满足有关参数验证要求的测试点是工艺生产中的检测手段。生产设备应提供参数验证测试点的测试孔和测试位置。

3.2.11 为防止因生产设备污染生产环境降低室内空气洁净度等级,对洁净室(区)内干燥设备出风口应设置气体过滤装置,以防含有药物成分的颗粒污染室外大气,同时也应防止室外未经过滤的含尘、含菌空气通过出风口倒灌至室内。

3.2.13 前处理设备的切药机、粉碎机等,应配置金属剔除装置以去除中药材中携带的金属,避免金属对产品造成污染。

3.3 生 产 环 境

3.3.1 药品生产厂房有空气洁净度和微生物控制要求,生产厂房所处的环境对药品的质量可能产生影响,故要求其环境能最大限度地降低物料或产品遭受污染的风险。厂址选择和总图平面布置应符合现行国家标准《医药工业洁净厂房设计规范》GB 50457 的有关规定。

3.3.2 本条中的药品指口服制剂和非创伤面外用制剂。因生药粉直接入药的药品,其药材粉碎、过筛、混合生产过程要控制环境空气中的尘埃粒子和微生物对生药粉的污染,故要求其生产区域密闭。

3.3.3 口服制剂和非创伤面外用制剂按《药品生产质量管理规范》(2010 年修订)(简称 GMP)的"无菌药品"附录 1 中的 D 级洁净区。芳香油和芳香水的收取按本条执行。

3.3.4 本条是对 GMP 的"中药制剂"附录第十四条的进一步细化。

中药注射剂根据产品不同,可能无浓配工序,本条将 GMP 的"中药制剂"附录第十四条"中药注射剂浓配前的精制工序"改为"中药注射剂配液前的精制工序"。

"中药注射剂配液前的精制工序"应参照非无菌原料药的精烘包工序划分,不应无限扩大。

"中药注射剂配液前的精制工序"的生产环境洁净级别应根据制剂生产时投料的生产环境确定。

D 级洁净区指《药品生产质量管理规范》(2010 年修订)附录 1 中规定的 D 级洁净区。

3.4 工 艺 布 局

3.4.3 本条第 1 款和第 2 款为强制性条文。本条第 1、2、3 款是要求从工艺布局上能尽量避免交叉污染,第 4 款是避免非生产人员进入生产区对正常生产造成干扰和引起产品质量事故的风险。

容易造成污染的物料包括药渣、醇沉渣、脱色的废炭等废弃物。

3.4.4 本条第 1 款和第 4 款为强制性条文。本条规定了中药材前处理的一些布局要求。

1 净选是中药炮制的第一道工序,主要是将原药材经过洗净、分选等处理方法除去药材中的泥沙、夹杂物及残留的非药用部分,或分离其不同的药用部分及霉败品等,使药材达到药用的净度和纯度标准。故必须设置该工序。

2 中药材前处理生产过程中,中药材品种较多,并且部分药材的外观相近,若无足够的暂存空间易引起药材的混淆和出现差错,故要求设置与生产相适应的原药材和净药材暂存间。

3 中药材前处理物料量大,相应生产过程中物料的运输量也比较大,为了提高生产效率在布局中要求方便物料的运输、物料运输路线短。

4 毒性药材的前处理生产过程中若防护不当易引起生产人员中毒，故要设置独立的生产区域和职业健康防护设施，职业健康防护设施包括更衣、淋浴区域等。

5 中药材炮制过程中要产生大量含尘、湿热等的气体，如炒制、煅制要产生高温含尘气体，酒制要产生含酒精的废气，醋制要产生含酸尾气，为了便于尾气的排放要求炮制工序靠外窗布置，必要时还应设置烟道。

6 中药前处理生产是要产生大量粉尘的生产工序，为了改善生产环境，必须要加强通风和设置必要的除尘设施，在工艺布局时必须考虑该部分设施的安装位置。

3.4.5 参照洁净区管理区域是针对直接入药生粉的生产的特定生产区，为了保证生产区域的密闭性，生产人员必须经过更衣后才能进出，物料必须经过气锁或传递窗进出，生产用工器具和洁具应能在生产区域内周转使用，故应设置人员、物料进出通道和工器具清洗存放、洁具清洗存放等辅助功能间。

3.4.6 本条的第 1 款为强制性条文。

1 提取生产过程中的中药材品种较多并且按处方配比投料，易引起药材的混淆和出现差错，故要求设置称量配料间和净药材暂存间，这都是提取质量控制必备的功能间，故放在提取布局中。具体实际设计中设在何处，要根据顾客的质量控制要求设置。

2 药材投料时有大量的粉尘产生，提取生产可能同时进行多个产品的生产，易产生交叉污染，故要求在投料区采取措施避免交叉污染。

3 提取设备排渣时会产生大量的湿热气体，影响生产环境，故要求出渣区与其他生产区域隔离。药渣易滋生微生物，与其他物料易造成交叉污染，故应设置独立的出渣口。

4 甲、乙类生产区域安全风险较高，集中布置便于安全设施的配置和安全生产管理。布置在厂房的一端和用防爆墙、门斗与其他区域分隔便于泄爆和安全事故的控制,避免安全事故扩大和次生安全事故的发生。

    5 提取生产中要产生大量的湿热气体,出渣时在生产区域散发大量的热量,为了改善生产环境,要加强通风和排风,在工艺布局时必须考虑利于通风和排风,如设置气窗等。

3.4.7 中药材大多数均要散发独特的气味,不宜与其他物料一起储存,库房宜分开。部分中药材由于其性质决定储存一定周期后易变质和虫蚀,要进行检查并养护。毒性药材按规定要严格控制,应设置专库储存。易串味药材可能引起其他药材和其自身变质,应设置专库储存。

3.5 工 艺 管 道

3.5.4 流浸膏粘度较大,除特殊药品外优质低碳不锈钢对流浸膏质量不会产生影响,为了管道便于清洗和保证药品质量要求流浸膏的管道材质宜采用内抛光的优质低碳不锈钢。

4 建筑、结构和装修

4.1 一般规定

4.1.3 厂房变形缝宜避免穿过洁净区。当单层厂房的变形缝无法避免穿过洁净区时应有相应措施。多层厂房的变形缝不得穿过医药洁净区,因为穿过洁净区的楼板的变形缝无法处理,而楼面的开裂将影响洁净区的洁净要求。

4.2 结　　构

4.2.1 由于生产工艺变化(升级)较快,中药厂几年就有新的产品替代旧的产品,新的生产工艺导致设备布置、房间分割发生调整。框架结构形式的优点就是便于改造。通过简单的、局部的建筑改造,就可以满足新的工艺要求。由于中药厂房设计荷载较大,管道吊装点较多,根据以往的经验,当板厚为 90mm~100mm 时,板配筋偏大,同时经常出现管道吊点处施工螺栓膨胀时楼板容易打穿或出现裂纹导致漏水。所以建议楼板厚度取 110mm 较好。

由于中药提取厂房温度、湿度较高,不仅受到室外环境温度变化的影响,同时房间内温度变化也较大,适当减少现行国家标准《混凝土结构设计规范》GB 50010 规定的伸缩缝最大长度是必要的,根据以往的设计经验,将现行国家标准《混凝土结构设计规范》GB 50010 规定的伸缩缝最大长度 55m 减到 45m。

4.2.2 甲类中药厂房是指有防爆要求的建筑。抗震设防类别是根据现行国家标准《建筑工程抗震设防分类标准》GB 50223 确定的。

4.2.3 本条规定主要是考虑到钢平台在厂房内部属于局部结构,在今后的改造中布置可变性较大,如果与主体结构连接,参与主体结构的共同作用,受力非常复杂,计算也不可控。为了保证主体结构和钢平台的受力简单明了,最好将两者脱开。

4.2.4 活荷载 5kN/m² 是根据较小设备布置、操作荷载、较小设备检修荷载、管道荷载综合确定的。根据以往的设计经验,较大设备是指使用荷载大于 10kN 的设备。

4.3 室内装修

4.3.4 本条的第 2 款为强制性条文。部分建材目前属于发展中的材料,其产品及特性均在不断变化,它们的化合过程也比较复杂。为防止对药品的污染,在原辅料和中间品等有与地面和墙面材料有直接接触的情况时,地面和墙面材料的选择需要慎重,其材料的毒性需经当地有关卫生防疫部门鉴定。

4.3.5 中药药品生产厂房中与医药洁净室相关的设计,均应符合现行国家标准《医药工业洁净厂房设计规范》GB 50457 的有关规定,本规范不再作重复规定。

5 通风、除尘、净化空调系统

5.2 通风、除尘

5.2.4 本条第 7 款和第 8 款为强制性条文。计算换气体积的方法：当层高小于 6m 时，按实际高度计算；当层高大于 6m 时，按 6m 高度计算。

7 本款是指室内或室外的人均能第一时间启动开关，使事故通风系统及时投入运行。

8 事故通风机应与检测报警装置联锁，以便及时发现事故并启动排风机，减少损失和伤害。

5.2.5 根据空气流动原理，若要排出一部分空气，需同时补充另一部分空气，才能实现空气平衡。对无窗的密闭房间，当进行机械排风时，无法从旁边的门窗洞口获得室外渗透风，故应设置机械补风系统，补风量不宜小于排风量的 50%。

5.2.7 本条为强制性条文，列出了应单独设置排风系统的情况。

凡存有容易引起火灾或具有爆炸危险的物质的房间，所设置的排风系统装置应是独立的系统，以避免容易起火或爆炸的物质进入其他房间。

由于散发粉尘和有害气体的排风系统处理方式不同，末端设备选择也不同，所以应单独设置排风系统。

5.2.10 粉尘捕集罩的设置位置，不应影响操作人员的正常工作。

5.3 洁净区净化空调系统

5.3.5 本条为强制性条文，列出了净化空调系统的空气不应循环使用的情况。

1 净化空调系统应合理利用回风，防止交叉污染。对于洁净区产生粉尘房间的空气是否回用,可根据风险评估要求和经济性确定。对产生粉尘的房间,如能采取有效措施进行处理,且处理后的空气不会造成交叉污染且经济合理的,可以利用回风。本款明确提出这类空气经处理后仍不能避免交叉污染的必须排风,不应循环使用。特别对于多品种药品同时生产时更应如此。

2 甲、乙类物质易挥发出可燃蒸气,处理和输送甲、乙类物质的设备、管道、阀门等若泄露,会形成有爆炸危险的气体混合物。如果没有排风,房间内有爆炸危险的气体混合物的浓度会越来越大,火灾或爆炸的危险性也越来越大。这类事故发生多起,因此含甲、乙类物质的生产区域的空气应及时排至室外,不应循环使用。

5.3.8 保持正压的洁净区,联锁程序为先启动送风机,再启动回风机和排风机,关闭时先关闭回风机和排风机,再关闭送风机;保持负压的洁净区,联锁程序与之相反。

5.4 气流流型与送风量

5.4.2 D级洁净区在工艺条件受限时可侧送下侧回,若是不产尘的房间也可采用顶送顶回,但应能保证不会产生污染和交叉污染。

有粉尘产生的房间,若采用上部回风方式,会造成粉尘的二次扩散飞扬,不利于粉尘的有效排出。

5.5 风管和附件

5.5.2 本条为强制性条文,规定了应设置防火阀的部位。通风和空气调节系统的风管是建筑内部火灾蔓延的途径之一,要采取措施防止火灾穿过防火墙和防火分隔处等位置蔓延。本条系参照现行国家标准《建筑设计防火规范》GB 50016 的有关条文编写的。

6 给 排 水

6.3 排 水

6.3.1 中药生产排水较复杂,其中,循环水系统排水可直接排至雨水系统,工艺排水水质较复杂,污染物浓度较高,污水必须处理。因此,应根据排水的来源、温度、水质指标等,分别设置排水系统,经处理达到国家排放标准后,方能排出厂外。

6.3.2 本条为强制性条文,规定了设置水封井的条件。当废水中的气体发生爆炸或火灾时,水封井能防止爆炸或火灾通过管道蔓延。

6.3.3 本条为强制性条文。洁净区内重力排水系统的水封和透气对于维护洁净区内各项指标是极其重要的。设置水封能防止洁净区内外的空气对流,减少对洁净区空气洁净度和温湿度的影响,降低洁净区的能量消耗。

6.3.4 本条为强制性条文。主要是为了明确排水立管不能穿越的洁净区的空气洁净度等级,防止排水立管对洁净区的污染。

6.3.6 本条的第 1 款为强制性条文。我国《药品生产质量管理规范》(2010 年修订)(GMP)无菌药品附录中,第二十九条规定"无菌生产的 A/B 级洁净区内禁止设置水池和地漏"。本条第 1 款是对此规定的引用。

6.3.9 本条第 2 款中的金属管是指不锈钢管、碳钢管、铸铁管等。采取降温措施是指设备排水出口采用自然冷却或换热冷却等方式降温后排放。

7 电 气

7.1 配 电

7.1.1 用电负荷级别划分以专业规范为准,本规范不再重复。

7.1.4 因洁净区及爆炸危险区域的特殊性,应重视其中设备的选择及安装。

7.1.6 本着以人为本的原则及对消防和环境影响的重视,特制定本条。因存在环境特征界定的灵活性,故本条采用"宜"。

7.2 照 明

7.2.2 工艺设备穿越钢平台,平台下面空间有限,钢平台上面做清洁时,水有可能渗漏到平台下。采用点光源防水灯具,既便于更换灯管,又能避免灯具安装处积水。

7.2.3 照度及功率密度以专业规范为准,本规范不再重复。

7.2.4 本条对备用照明持续供电时间作出具体要求,以满足正常照明电源故障时进行必要的操作处置。

7.3 防雷及接地

7.3.1 防雷类别划分以专业规范为准,本规范不再重复。

7.3.3 洁净区吊顶及空调机房预埋的接地连接板供工艺或洁净空调管道等防静电接地用。接地连接板的制作及预埋参考相应国家标准图集。

7.3.4 预埋接地连接板是为了便于接地干线与接地体连接。

7.3.5 本条为强制性条文。本措施是为了消除人体及设备的静电,减少事故隐患。

10 安全与消防

10.2 消 防

10.2.2 本条为强制性条文。中药厂房生产常常伴随着溶剂的使用、存储、回收,其火灾危险性较大,中药厂房的消防设计应根据生产的工艺特点、生产的火灾危险性类别、火灾种类、建筑物体积、当地的经济技术条件等因素确定。除设置水消防系统外,还应设置必要的灭火设施。

11 施 工

11.1 施 工 组 织

11.1.1 项目变更涉及项目质量、进度、成本、工艺、健康、安全、自控等各个方面,特别是与工艺相关的变更,大多数对产品质量和GMP有直接影响。为了确保项目变更得到有效控制,故作出此项规定。

11.2 建 筑 工 程

11.2.4 洁净室(区)内所有装饰装修材料应提供材质报告、产品质量合格证书、防火检测报告和有关技术资料,且配件齐备。

11.2.7 由于施工现场不具备精确定位开孔的条件,为保证施工质量,故作出此项规定。

11.3 安 装 工 程

Ⅰ 一 般 规 定

11.3.1 所有用于安装工程的设备、材料进入施工现场前,施工单位应提供材质报告、产品质量合格证书和有关技术支持资料,且配件齐备。

11.3.2 为了保证项目建成后管道系统、设备的操作维保和生产使用功能,故作出此项规定。

11.3.5 引用现行国家标准《洁净室施工及验收规范》GB 50591的有关规定和要求,因洁净区配管上的阀门、连接件设置与药品生产质量及日常运行维护密切相关,故特此规定。

Ⅱ 公 用 系 统

11.3.8 洁净室(区)内的排水做空气隔断处理,安装 U 型或 S 型翻水弯,排水管道采用不锈钢材质。

11.3.11 在施工实践中,穿越洁净区域的明装公用系统管道、管件和阀门容易误用为非洁净材质,故特此规定。

Ⅲ 工艺管道系统

11.3.13 与洁净工艺管道施工相关的各个环节必须进行严格控制,以满足中药药品生产质量和现行国家标准的要求。

11.3.14 制定第3款的目的是为了确保不锈钢管道的焊接质量。

Ⅳ 通风、除尘、冷冻、空调净化系统

11.3.23 生产设施洁净室(区)完成保洁并达到清洁要求后,净化空调系统连续运行空吹24h以上,再次清扫、擦净洁净室,方可进行高效送风口安装。

Ⅴ 弱电、仪表与自控系统

11.3.25 引用现行国家标准《洁净室施工及验收规范》GB 50591和国家计量法规的强制性要求,因系统/设备上的仪器仪表与药品生产质量及日常运行维护密切相关,故特此规定。

Ⅵ 消防系统与安全设施

11.3.27 为了确保洁净室(区)内的消防管道和消火栓箱符合现行国家标准,并满足洁净要求,故制订此条。

Ⅶ 设 备 安 装

11.3.32 为了确保中药生产设施设备的安装确认、运行确认和性能确认文件满足GMP验证的要求,故作出此项规定。

12　验收与确认

12.1　验　收

12.1.1　本条说明了中药药品生产设备或系统应该符合 ISPE《优良工程规范》(GEP)要求,并在调试前制定调试计划。

12.1.2　本条说明了调试工作的范围及 FAT 和 SAT 所处的阶段。

(1)工厂验收测试主要是在未出厂前,设备供应商厂内执行。工厂验收测试将由设备制造商检查并测试每个设备/系统的文件、安装和功能的正确性。

(2)现场验收测试的内容包括竣工与检查、调节校准、运行设置、测试及性能测试等,以确保各系统符合设计要求和包括业主在内的各相关方的预期。

(3)调试活动还包括目测检查和测试,前者包括图纸查证、结构完整性检查、材质证明审核、代码证书审核、环路检查;后者包括烟雾或检漏测试,电压、阻抗及通路测试,水压测试,气压测试,流速及排水测试,泵及搅拌测试。

12.1.6　本条说明验收阶段的检查也应该符合 GMP 的要求,便于后续与 GMP 确认文件整合。

12.1.7　调节及校准是将设施中某一系统及其组件的运行区间调校到许可范围之内,调节及校准可涉及诸多数据测试。采取团队协作的方式多人同时进行不同类别但相互关联的数据测试可提高调校效率。

12.1.8　本条规定应周密地制定各系统测试计划,以高效、准确、真实地获得项目竣工文件中所需的测试成果。验收阶段的测试应证明系统中的各个组件在其运行范围内表现安全,并符合性能标准、设计标准。

12.1.9 本条强调直接影响系统的管理和执行应符合现行国家标准和 GMP 规范要求。

12.1.10 项目施工前应编写和发布一些用于项目竣工验收和交付的书面程序,比如竣工程序、交付成果及移交方式,并明确项目参与各方的职责。

12.1.11~12.1.13 这几条说明了系统或区域移交的方式、移交过程应该遵循的书面程序,并说明了项目竣工和移交中交付文件的范围。

12.2 确 认

12.2.1 本条说明制药企业在验收和确认之前应该编制验证总计划,并介绍总计划中应该包括的内容,以减少重复工作、经济有效地完成确认及验证。

12.2.2 本条说明了验证总计划编写的阶段。

12.2.3 本条说明系统的安装与运行确认之前应进行系统的评估,以便更好地对直接影响系统进行验收和确认。

12.2.4 本条提出 IQ、OQ 和调试方案的整合,强调质量部门应参与,并说明确认过程中应增加额外的测试和检查来查证是否满足设计要求和功能说明的要求。

12.2.5 本条说明了参与确认与验证工作的人员与活动。

12.2.6 关键设备的确认可通过以下风险评估活动进行:

系统影响性评估(SIA):中药设备根据系统影响性评估将系统分为了直接影响、间接影响和无影响三类,所有的判定均基于对产品质量的影响程度进行划分。

部件关键性评估(CCA):对于每一项会对产品质量产生影响的功能,所有提供该功能的设备、部件或仪表都归类为关键和非关键两种。通常对直接影响系统的关键性部件进行风险评估,确定其在整个系统中的风险程度,并建议控制措施降低其风险。

本条说明了在清洁和工艺验证之前,必须完成对设备的确认工作。

1 用户需求说明应包括但不局限于以下内容:

(1)介绍总体要求;

(2)预购买设备、系统的技术指标、可能的型号及设计规范要求;

(3)全面、详细描述设备的技术参数的具体范围及精度要求;

(4)特殊要求,如安全报警装置、防爆及捕尘装置、备品备件清单等;

(5)设备材质及结构要求;

(6)物理要求,包括有效空间、位置及所处的环境等;

(7)文件要求,如要求供应商提供 IQ/OQ/PQ 及计算机化系统验证文件等。

本条的第 2 款到第 5 款,说明了设备的确认工作中应该包括的文件,并简要列举出每一步工作中应该包括的内容。

2 设计确认(DQ)是对提议的设施、设备或系统适用于预期目的的一种形成文件的确认。中药制剂受条件限制,批量是化学药无法比拟的,如前期分的亚批过多,则后期同一批次不能一次混合。由于中药生产工艺复杂,所用设备、容器具有复杂性和多样性,如何行之有效地清洁也是需要考虑的关键问题。

3 安装确认(IQ)是对安装好的和调整过的设备或系统符合已批准的设计、制造商建议的和/或用户要求的形成文件的确认。由于提取工艺可能涉及醇提,对于用乙醇或低沸点溶剂回流的生产场地和设备、仪表、电气设施需进行防火防爆措施的确认。

以提取系统为例,在安装确认阶段需要额外考虑进行的测试项主要有:

(1)材质和表面光洁度确认:对罐体、保温层、滤网、冷凝器、管道、搅拌桨、密封圈等直接接触产品或对产品影响较大的部件进行检查,确认其是否符合要求。

（2）仪表确认：检查对控制提取关键参数或对产品质量有较大影响的仪表的合格证，应特别注意温控仪和气缸选型的确认。

（3）部件确认：对照部件清单检查设备部件数量是否齐全、规格及供应商是否正确。

（4）P&ID 图：对照已签批的终版 P&ID 图检查提取系统的仪表、管路安装情况是否和图纸一致。

（5）焊接质量确认：检查是否有已生效的焊接工艺指导书、焊接质量是否合格、焊接相关文件（如焊点图、焊工证、焊接记录、焊机证明等）是否齐全。

（6）水压测试及酸洗钝化确认：检查水压测试及酸洗钝化方案是否已批准且报告结果合格。

（7）公用设施确认：提取设备大部分为煎煮设备，需特别检查接入的蒸汽、水、电、压缩空气及冷媒是否符合要求，检查药液管道和冷媒管道连接。

（8）控制系统确认：检查系统电气柜的布局图、电气设备和接线图与设备的安装状态一致。

4 运行确认（OQ）是对安装好的和调整过的设备或系统能在整个预期的操作范围内按要求运行的形成文件的确认。本阶段是对设备的运行情况符合设备出厂技术参数，能够满足用户需求和设计确认中的功能技术指标进行确认，运行确认是一个动态的确认。

以提取系统为例，在运行确认阶段需要额外考虑进行冷凝器、冷却器的水压试验和换热效果确认，确认是否满足工艺需要，需要进行投料盖、出渣门开启及关闭确认，出渣门与罐体结合部位渗漏确认。

（1）SOP 确认：检查设备运行所需的 SOP 是否存在。

（2）报警联锁测试：检查报警是否能够被正确地触发和复位。

（3）密封性确认：通过保压试验检查系统是否泄漏。

（4）空载检查：检查设备在空载状态下是否能够正常、稳定地运行。

5 性能确认(PQ)是对设备或其辅助系统在相互连接后,能根据已获准工艺方法和质量标准有效地、重现地进行运转的成文的确认。性能确认是为了证明按照预定的操作程序,设备在设计工作参数内负载运行,可以生产出符合预定质量标准的产品而进行的一系列的检查、检验等测试。

PQ 阶段执行的测试项目主要有:

(1)SOP 确认:确认 SOP 的适用性和准确性,此时的 SOP 应已签批。

(2)参数确认:确认根据预定的操作程序,设备能否达到生产所需要的工艺参数(如温度、压力、转速等)。

(3)提取物确认:确认依据预定的操作程序,在规定的工艺参数内生产出的提取物是否符合工艺要求。